Méthode de françai[s]

Catherine Adam

didier

Crédits photographiques : p. 8 – Jérome Pallé ; **p. 10 –** a Purestock/GettyImages ; **p. 10 –** b Colorblind/ Digital Vison/GettyImages ; **p. 10 –** c Wolfgang Weinhäupl/Mauritius/Photononstop ; **p. 10 –** d Till Jacket/ Photononstop ; **p. 10 –** e SteF - Fotolia.com ; **p. 17 –** bd tbkmedia.de/Alamy ; **p. 17 –** bg Galen Rowell/Corbis ; **p. 17 –** hm Gaetano Barone/Corbis ; **p. 25 –** bd Justin Prenton/Alamy ; **p. 25 –** bg Gérald Morand-Grahame/ Hoa-Qui/Eyedea ; **p. 25 –** hd Eric Baccega/Jacana/Eyedea ; **p. 25 –** hg Sylvain Grandadam/Hoa-Qui/Eyedea ; **p. 32 –** bg Peter Noyce UK/Alamy Images ; **p. 32 –** hd Santa Clara/Photononstop ; **p. 32 –** hg Dreamlight/ Taxi/GettyImages ; **p. 32 –** hg ImageBroker/Alamy Images ; **p. 33 –** 1 Jerry Cooke/Corbis ; **p. 33 –** 2 Philippe Roy/HoaQui/Eyedea ; **p. 33 –** 3 Neil Mc Allister/Alamy ; **p. 33 –** 4 David Robertson/Alamy Images ; **p. 33 –** 5 Paul A.Souders/Corbis ; **p. 33 –** 6 Nutan/Rapho/Eyedea ; **p. 33 –** bd Boris Karpinski/Alamy Images ; **p. 33 –** bg Bildagentur/Tips/Photononstop ; **p. 33 –** hd Peter Noyce UK/Alamy Images ; **p. 34 –** Jasenka - Fotolia.com ; **p. 41 –** bd Dominique Luzy - Fotolia.com ; **p. 41 –** bg Werner Forman/AKG images ; **p. 41 –** bm Heritage Images/ Leemage ; **p. 41 –** hd The Gallery Collection/Corbis ; **p. 41 –** hg Oriental Trade - Fotolia.com ; **p. 41 –** hm View Stock/alamy ; **p. 42 –** Iva Villi - Fotolia.com ; **p. 49 –** bd Michel Gounot/Corbis ; **p. 49 –** bg Tim Tadder/Corbis ; **p. 49 –** bm Glowimages/GettyImages ; **p. 49 –** hd Franck Guizou/hemis.fr ; **p. 49 –** hg Darell Gulin/The image Bank/GettyImages ; **p. 49 –** hm Sylvain Cordier/Explorer/Eyedea ; **p. 50 –** DR ; **p. 57 –** bd Sorge/Carof/Alamy ; **p. 57 –** bg Alexander Pöschel/ImageBroker/Alamy ; **p. 57 –** hd Blair Howard - Fotolia.com ; **p. 57 –** hg Aurélia Galicher ; **p. 57 –** hm Topic Photo Agency IN/AGE Fotostock.

Nous avons recherché en vain les auteurs ou les ayants droit de certains documents reproduits dans ce
Leurs droits sont réservés aux Éditions Didier.

Références des textes

p. 13 – Carl Norac, dans *Petits Poèmes pour passer le temps*, © Didier Jeunesse, Paris 2008 ; **p. 4**
Charpentreau – « Les beaux métiers » extrait de *Poèmes pour peigner la girafe* © 1994 Hachette Livre/
Langereau

Nous avons recherché en vain les auteurs ou les ayants droit de certains documents reproduits dans ce livre. Leurs droits sont réservés aux Éditions Didier.

Couverture et maquette intérieure : Massimo Miola
Illustration couverture : Sylvie Eder
Mise en page et montages : Anne-Danielle Naname et Tin Cuadra
Illustrations : Lynda Corazza, Sylvie Eder et Gabriel Rebufello

Achevé d'imprimer par Stige en février 2021 – Dépôt légal : 6649/15

Bienvenue !

Bonjour !

on est content de te retrouver !
Tu vas continuer à apprendre le français avec nous,
c'est super !
Tu vas voir, c'est sympa et on va t'aider !
Tu connais déjà Madame Leroy. Elle est gentille et
elle encourage tout le monde.
On va faire plein d'activités : on parle, on
chante, on récite, on joue, on lit, on écrit,
on jongle avec les sons, on découvre le monde,
on fait des ateliers tous ensemble en français !
Et maintenant, c'est reparti !

Djamila
Martin Maé Wang Noé
Camille

Tableau

	C'est reparti !
OBJECTIFS	Réactiver les connaissances acquises
(INTER)CULTUREL	• L'environnement scolaire • La vie quotidienne

	Unité 1 Pendant l'année	Unité 2 Dans la ville	Unité 3 Le week-end prochain
COMMUNICATION	• Demander et dire la date • Demander et dire l'heure • Dire ce qu'on fait pendant la journée	• Dire son adresse • Demander et dire son chemin • Dire où on va et comment on y va	• Inviter quelqu'un • Accepter une invitation • Dire ce qu'on va faire
GRAMMAIRE	• *– On est quel jour ?* • *– On est le...* • *Il est ... heure(s) ?* • *À ... heure(s), je...* • Les verbes pronominaux (*je, tu, il/elle*)	• *Où est... ?* • *Je vais, tu vas, il/elle va, nous allons, vous allez, ils/elles vont + au, à l', à la, aux* • L'impératif négatif : *Ne traverse pas !, Ne tourne pas !* • L'orientation : *à droite, à gauche, tout droit*	• Le futur proche *Qu'est-ce que tu vas faire après/demain ?* • *Je vais aller...* • *Je peux, tu peux, il/elle peut* + infinitif
LEXIQUE	• La date • Les mois et les saisons • L'heure : *et quart, et demie, moins le quart* • Les actions quotidiennes (*se lever, s'habiller, se laver, se coucher...*) • Les nombres de 20 à 60	• *C'est où ?* • La ville • Les moyens de transport	• Les sports • Les loisirs • *Au stade, à la piscine, au parc*
PHONÉTIQUE	Les sons [wa]/[a]	Les sons [f]/[v]	Les sons [p]/[b]
CHANSON / POÉSIE	*C'est l'histoire d'une heure*	• *Et où vont-ils ?* • *Où sont les vélos ?*	*On va s'amuser !*
(INTER)CULTUREL	L'heure dans le monde	• Les moyens de transport dans le monde • La sécurité routière	Les sports dans le monde
JEU	« Debout, c'est l'heure ! »	« Où vas-tu Manu ? »	Le jeu des Sports
ATELIER	Le calendrier de la classe	Le passeport « sécurité routière »	Le jeu de société
PORTFOLIO	Je sais déjà des choses en français !	Je connais ma ville en français !	Je peux faire beaucoup de choses en français !
BILAN	Je fais le point !	Je fais le point !	Je m'entraîne au DELF Prim (compréhension de l'oral et compréhension des écrits)

des contenus

RÉVISIONS	• Saluer • Se présenter, présenter quelqu'un • Dire ce qu'on fait dans la classe et après l'école

Unité 4 **Chez le docteur**	**Unité 5** **La classe verte**	**Unité 6** **La fête de l'école**
• Dire comment on se sent • Dire où on a mal • Refuser une invitation	• Parler du temps qu'il fait • Dire où c'est • Décrire un lieu	• Dire comment on s'habille • Décrire un vêtement • Raconter ce qu'on a fait • Parler au téléphone
• *– Où tu as mal ?* *– J'ai mal + au, à l', à la, aux...* • *– Tu viens chez moi ?* *– Non, je ne peux pas venir.* • *– Pourquoi ?* *– Parce que...*	• *– Quel temps fait-il ?* *– Il fait chaud, froid, beau...* • *Il y a + du, de l', de la, des /* *Il n'y a pas de* • La localisation : *sur, sous, dans, devant, derrière, à côté de*	• *– Qu'est-ce que tu mets pour la fête ?* *– Je mets, tu mets, il/elle met* • *Je prends, tu prends, il/elle prend* • Le passé composé avec *avoir* • *Combien de... ?* • L'accord des adjectifs qualificatifs au pluriel
• Les parties du corps • Les adjectifs *content(e), malade, triste, fatigué(e)* • Le *vous* de politesse	• La météo • Les animaux de la ferme • Les métiers	• Les vêtements • La fête • Les nombres de 70 à 100 • Les nombres de 100 à 1 000 (dans le précis de grammaire, p. 59)
Les sons [t]/[d]	Le son [j]	Les sons [ã]/[ɛ̃]/[ɔ̃]
Fais comme moi !	*Les beaux métiers*	*C'est un faux numéro !*
Les créatures légendaires dans le monde	Les climats du monde	Le téléphone dans le monde
« Qui dit quoi ? »	« Quel temps fait-il ? »	Le jeu du Téléphone
Le jeu de dominos des Monstres	L'affiche de l'animal préféré	La fête de la classe
Parce que c'est en français !	Je découvre la nature en français !	Je communique en français !
Je fais le point !	Je fais le point !	Je m'entraîne au DELF Prim (production orale et production écrite)

TipTop!

Comment ça marche ?

Pour savoir ce que tu dois faire :

Dans ta boîte à outils, tu trouves :

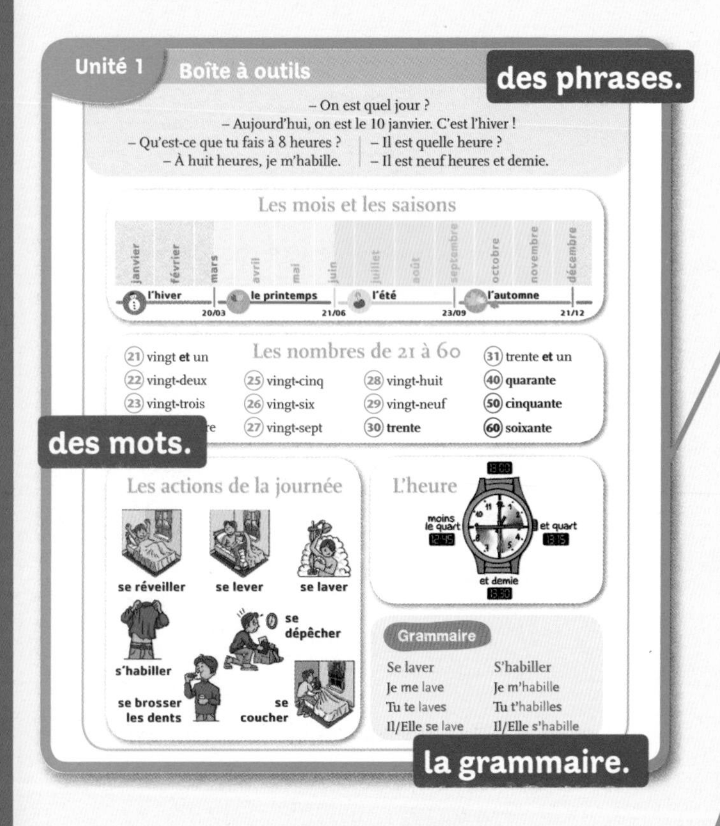

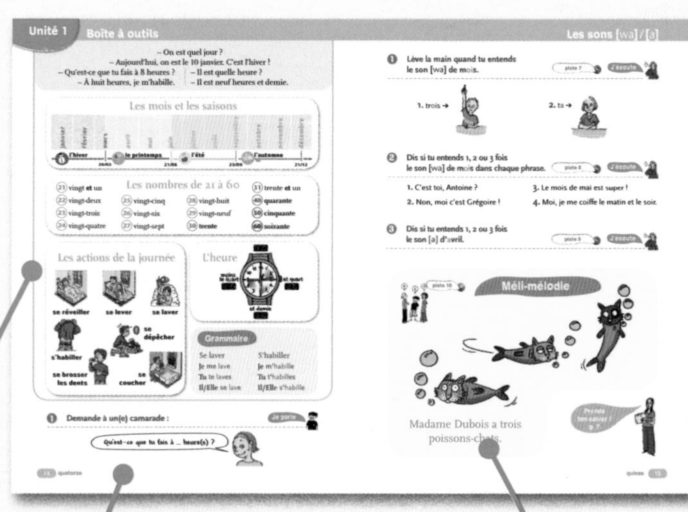

Tu joues avec les sons :

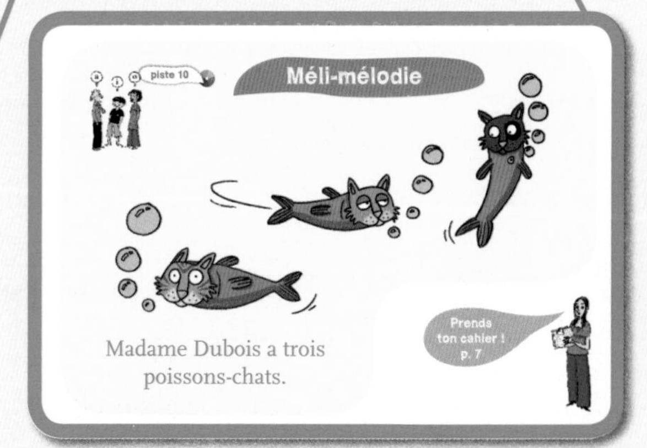

Tu utilises les outils :

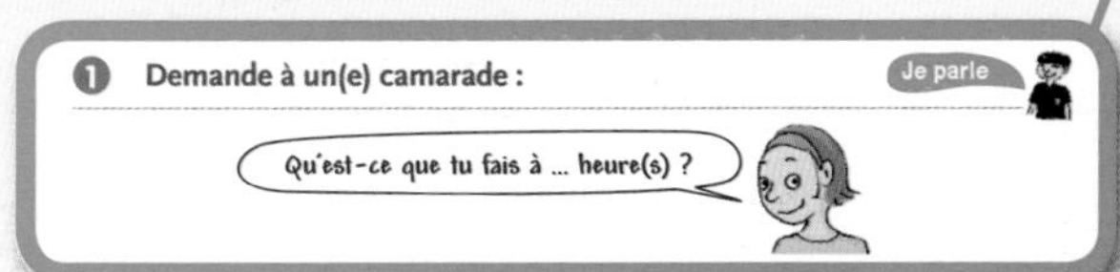

Tu joues et tu fabriques :

Dans ton cahier...

Et dans ton auto-dico...

Mon auto-dico

C'est ton dictionnaire de français.
Complète ton auto-dico avec tes nouveaux mots !

1 Écris un mot. 2 Dessine ou colle une image du mot.

un oiseau — un oiseau

Conseils :
Écris le en bleu, la en rose et les en vert.
Écris les verbes en rouge : aimer, parler, vouloir.

Unité 1 • Pendant l'année

tu complètes avec tes mots !

C'est reparti !

1 Qui est-ce ? Associe.

J'écoute et je parle

a

d

b

c

e

f

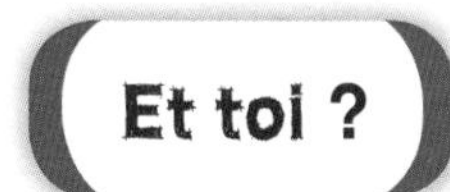

2 Trouve les 7 différences.

Je parle

a

b

3 **Tu as une bonne mémoire ?**
Trouve le plus de mots français avec ton/ta voisin(e).

4 Qu'est-ce qu'ils font après l'école ?

piste 3 J'écoute et je parle

b

d

e

Et toi ?

Unité 1

Pendant l'année

- Je connais les saisons.
- Je demande et je dis la date.
- Je demande et je dis l'heure.
- Je compte jusqu'à 60.
- Je dis ce que je fais pendant la journée.
- Je joue à « Debout, c'est l'heure ! ».
- Nous fabriquons le calendrier de la classe.
- Nous nous évaluons.
- J'utilise mon portfolio.

Quelle journée !

LA MÈRE DE MAÉ : – Maé ? Il est sept heures ! Qu'est-ce que tu fais ? C'est la rentrée aujourd'hui !
MAÉ : – Je me lave !
LA MÈRE : – Maé, il est sept heures et demie ! Viens manger !
MAÉ : – Oh, maman ! J'ai pas faim !
LA MÈRE : – Maé, il est huit heures ! Vite !
MAÉ : – Ok, ok ! Je me dépêche ! Oh là, là ! Quelle journée !

DE : Maé À : John Objet : C'est la rentrée !

Salut John,

On est le 3 septembre, c'est la rentrée ! Voici ma journée : je me réveille à sept heures. Je me lave et je m'habille. À sept heures et demie, je mange un bon petit déjeuner. À huit heures, je me dépêche. À huit heures et demie, c'est l'école ! À midi, je déjeune à la cantine. À seize heures trente, je rentre chez moi, je fais mes devoirs et je joue à la console. À vingt heures, je mange avec mes parents. Après, je regarde un peu la télé et à vingt et une heures trente, je me couche. Et toi, comment est ta journée ?

À bientôt !
Maé

❶ Montre le bon dessin.

a

b

c

❷ Montre le bon dessin et associe.

J'écoute et je parle

a

1. Je m'habille.
2. Je me couche.
3. Je me réveille.
4. Je me lave.
5. Je me dépêche.

b

c

d

e

C'est l'histoire d'une heure

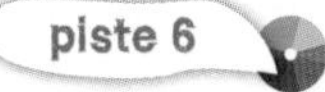

Je récite

C'est l'histoire d'une **heure**
Qui a perdu une **seconde**.
Faut voir comme elle **pleure**,
Comme elle crie à la **ronde**.
Qui connut un tel **malheur** ?
À l'entendre, il y avait de l'amour à l'**intérieur**.

CARL NORAC, *Petits Poèmes pour passer le temps*,
Didier Jeunesse, Paris, 2008.

Boîte à outils

– On est quel jour ?
– Aujourd'hui, on est le 10 janvier. C'est l'hiver !

– Qu'est-ce que tu fais à 8 heures ?
– À huit heures, je m'habille.

– Il est quelle heure ?
– Il est neuf heures et demie.

Les mois et les saisons

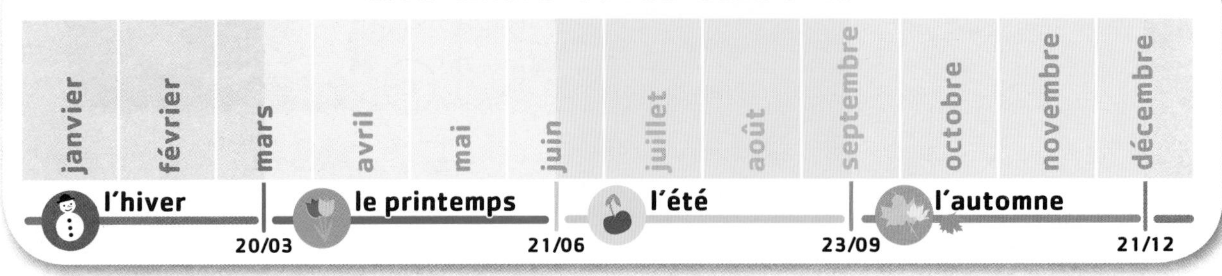

Les nombres de 21 à 60

21 vingt **et** un			31 trente **et** un
22 vingt-deux	25 vingt-cinq	28 vingt-huit	40 **quarante**
23 vingt-trois	26 vingt-six	29 vingt-neuf	50 **cinquante**
24 vingt-quatre	27 vingt-sept	30 **trente**	60 **soixante**

Les actions de la journée

se réveiller

se lever

se laver

s'habiller

se dépêcher

se brosser les dents

se coucher

L'heure

Grammaire

Se laver	S'habiller
Je **me** lave	Je **m'**habille
Tu **te** laves	Tu **t'**habilles
Il/Elle **se** lave	Il/Elle **s'**habille

1 Demande à un(e) camarade :

Je parle

1 **Lève la main quand tu entends le son [wa] de mois.**

1. trois →

2. ta →

2 **Dis si tu entends 1, 2 ou 3 fois le son [wa] de mois dans chaque phrase.**

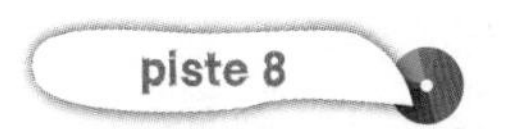

1. C'est toi, Antoine ?

2. Non, moi c'est Grégoire !

3. Le mois de mai est super !

4. Moi, je me coiffe le matin et le soir.

3 **Dis si tu entends 1, 2 ou 3 fois le son [a] d'avril.**

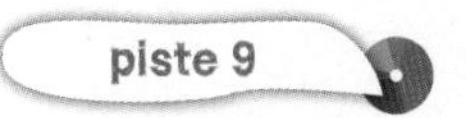

Méli-mélodie

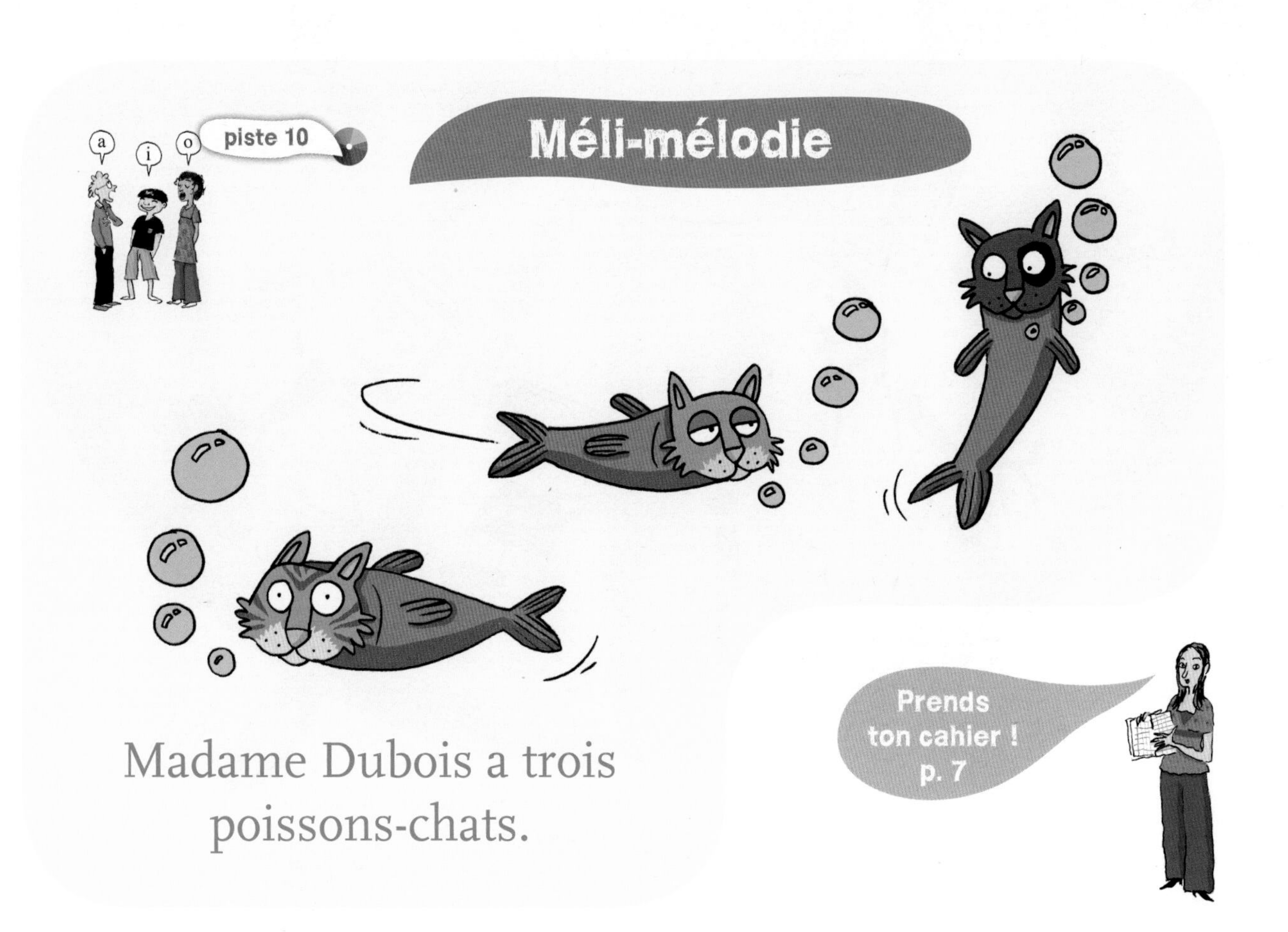

Madame Dubois a trois poissons-chats.

Debout, c'est l'heure !

Nous jouons

Règles

① Mets le crayon au centre du réveil.

② Fais tourner le crayon.

③ Dis la phrase. Compte un point par bonne phrase.

④ Compte les points. Bravo ! Tu as gagné !

L'heure dans le monde

Il est 12 h à Paris (France)...

il est 5 h à Mexico (Mexique)...

et il est 22 h à Sydney (Australie).

Je fabrique

Fabriquons le calendrier de la classe !

Matériel :
- 12 grandes feuilles de couleur
- du ruban ou du fil
- une perforeuse
- une règle
- des feutres
- des ciseaux
- de la colle

Regarde bien les photos et lis le mode d'emploi avec tes camarades :

l'hiver
le printemps
l'été
l'automne

1. Écrivez les 4 saisons au tableau et faites 4 groupes.

2. Choisissez une saison et une couleur par groupe.

3. Prenez 3 feuilles et écrivez les mois et les jours.

4. Cherchez les dates importantes.

Prends ton cahier ! p. 11

5. Décorez les feuilles.

6. Faites 2 trous et attachez les feuilles.

BRAVO !
Le calendrier est prêt. Affichez le calendrier dans la classe !

Unité 2

Dans la ville

- Je sais donner mon adresse.
- Je demande et j'indique un chemin.
- Je sais dire où je vais et comment j'y vais.
- Je connais les lieux de ma ville.
- Je sais dire où c'est.
- Je joue à « Où vas-tu Manu ? ».
- Je fabrique mon passeport « sécurité routière ».
- Nous nous évaluons.
- J'utilise mon portfolio.

Fais attention !

piste 15

① MAÉ : – Salut Wang ! Camille et moi, nous allons au musée. Tu viens avec nous ?
WANG : – Le musée ? Où c'est ? C'est loin ?
CAMILLE : – Non, ce n'est pas loin. C'est 10, rue Victor-Hugo. On va à pied.
WANG : – Ok ! Je viens avec vous. J'adore marcher !

② MAÉ : – Wang, Wang ! Fais attention ! Ne traverse pas !
CAMILLE : – Et marche sur le trottoir !
WANG : – C'est loin, le musée ?
CAMILLE : – Pardon monsieur, où est le musée, s'il vous plaît ?
LE MONSIEUR : – Le musée ? Vous allez tout droit, puis à gauche, puis à droite.
MAÉ : – Merci monsieur !
WANG : – On marche, on marche. J'en ai assez !

1 Montre les bons dessins.

• Ils vont...

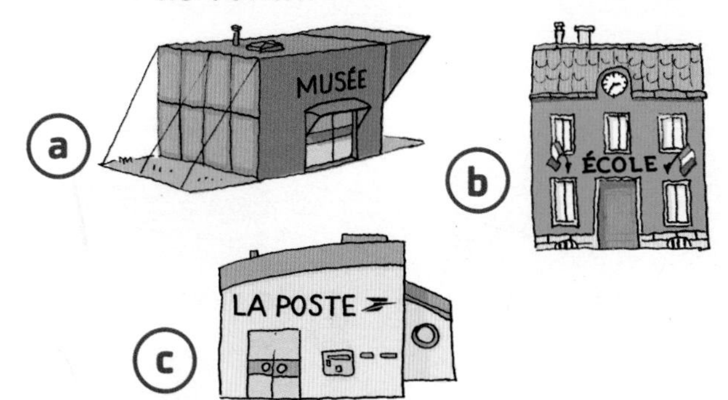

• Ils vont en/à...

2 Montre les bons dessins.

piste 16 J'écoute

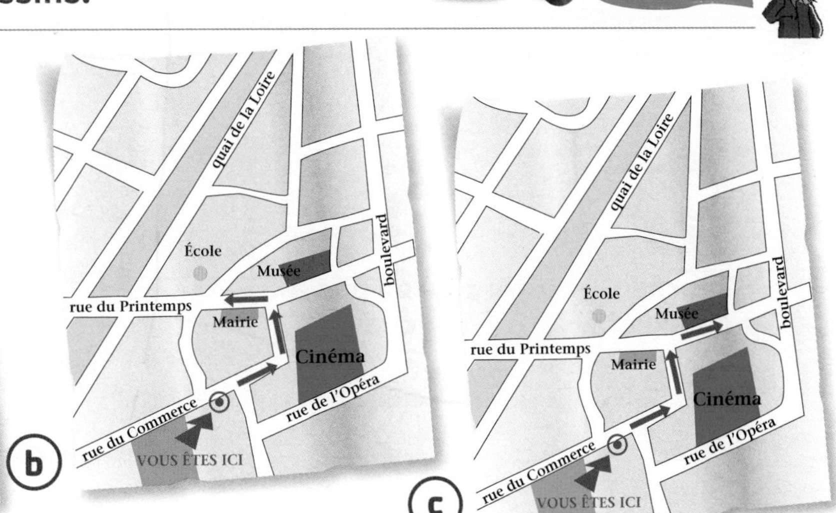

Et où vont-ils ? Où sont les vélos ?

Pascal va tout droit.
Oscar tourne à gauche.
Sarah
Traverse la place.
Et où vont-ils ?

Victoire va à la mairie en bus ? Non !
Émilie va à la poste en voiture ? Non !
Louis va au cinéma en métro ? Non !
Où sont les vélos ?

Boîte à outils

– Où tu habites ?
– J'habite 9, rue Verlaine à Paris.

– Où est le musée, s'il vous plaît ?
– Vous allez tout droit puis à gauche.

– Ne traverse pas !

La ville

le musée

l'hôpital

l'école

la boulangerie

le restaurant

le supermarché

le cinéma

la poste

la rue

la place

la mairie

C'est où ?

Tourne à gauche !

Ne tourne pas à gauche !

Tourne à droite !

Ne tourne pas à droite !

Va tout droit !

Ne va pas tout droit !

Traverse !

Ne traverse pas !

Je vais à l'école…

à pied.

à vélo.

en voiture.

en bus.

en métro.

Grammaire

Aller
Je vais
Tu vas
Il/Elle va
Nous allons
Vous allez
Ils/Elles vont

au musée.
à l'hôpital.
à la poste.
aux toilettes.

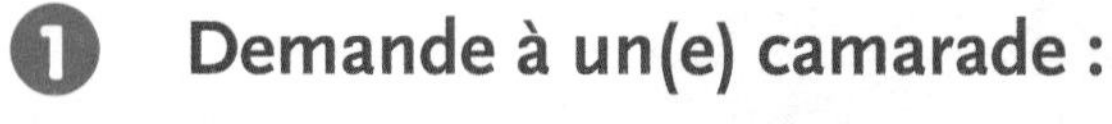

1 Demande à un(e) camarade :

❶ Répète les mots avec le son [f] de famille.

piste 18 

1. des frites
2. une fois
3. le frère
4. faux
5. facile
6. difficile

❷ Répète les mots avec le son [v] de vélo.

J'écoute et je parle

1. une ville
2. un anniversaire
3. une voiture
4. vert
5. vouloir
6. vrai

❸ Trouve l'intrus.

piste 20 J'écoute

1. un vélo
2. un voisin
3. une ville
4. une fille
5. une voiture
6. une voisine

Méli-mélodie

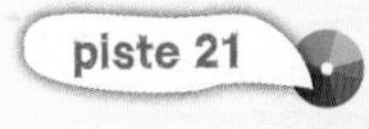

Le vendredi vingt février,
je vais en ville à vélo avec Frédérique.

Prends ton cahier ! p. 15

Où vas-tu Manu ?

Nous jouons

Règles

① Ton/ta voisin(e) de gauche pioche une carte de ta couleur.

② Écoute où tu dois aller.

③ Dis où tu vas.

Prends ton cahier ! p. 63

④ C'est vrai ! Tu gagnes la carte.

⑤ Tu as le plus de cartes ? Bravo ! Tu as gagné !

Les moyens de transport dans le monde

un bateau à Venise

un traîneau en Alaska

un bus à Londres

un train au Canada

Je fabrique

Fabrique ton passeport « sécurité routière » !

Matériel :
- des stylos
- des feutres
- des ciseaux
- le passeport (p. 59, cahier)

Regarde bien les photos et lis le mode d'emploi avec tes camarades :

1. Découvre des panneaux et des règles de sécurité.

Prends ton cahier ! p. 19

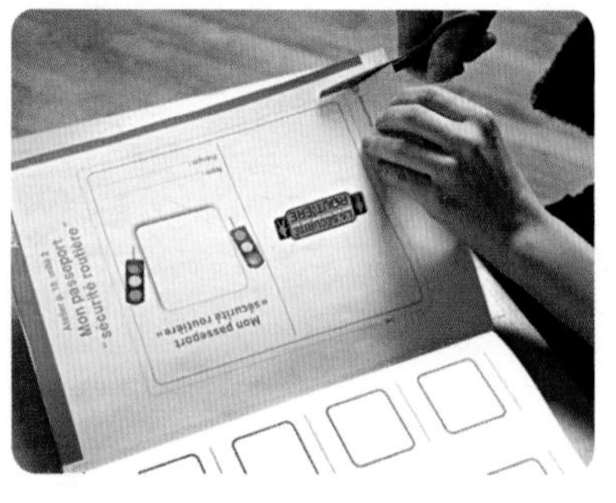

2. Découpe ton passeport.

Prends ton cahier ! p. 59

3. Dessine un panneau.

4. Écris ton nom, ton adresse et ton transport.

5. Cherche et écris les numéros d'urgence.

BRAVO !
Le passeport est prêt. Dans la rue, prends ton passeport « sécurité routière » avec toi !

Unité 3

Le week-end prochain

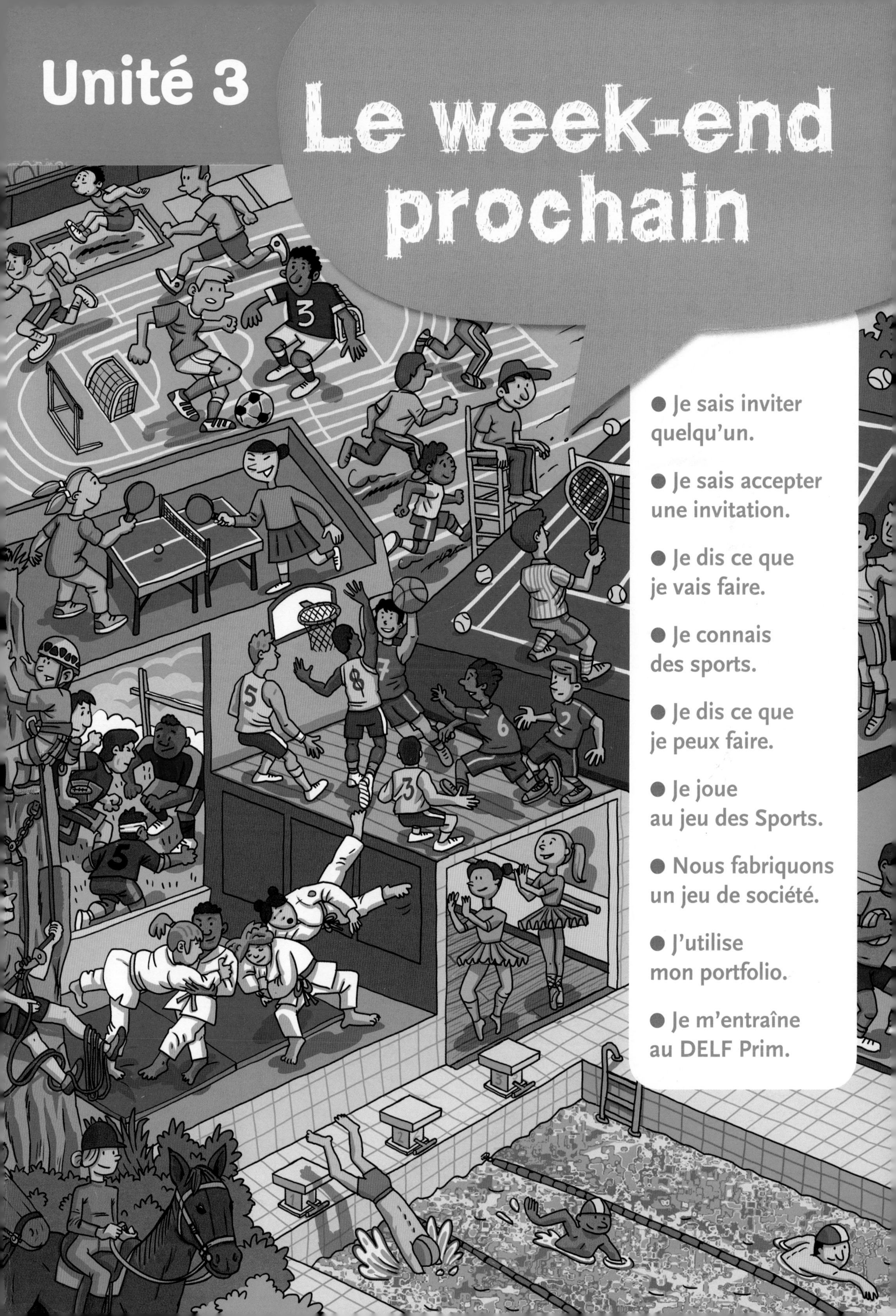

- Je sais inviter quelqu'un.
- Je sais accepter une invitation.
- Je dis ce que je vais faire.
- Je connais des sports.
- Je dis ce que je peux faire.
- Je joue au jeu des Sports.
- Nous fabriquons un jeu de société.
- J'utilise mon portfolio.
- Je m'entraîne au DELF Prim.

Tu viens chez moi ?

piste 24

J'écoute

1. MARTIN : – Salut Noé ! Tu viens chez moi pour le week-end ?
NOÉ : – Ok, d'accord ! Qu'est-ce qu'on va faire ?
MARTIN : – Samedi, à 9 heures, on va jouer au foot, à midi, on va aller à la piscine...
NOÉ : – Dimanche, on va aller chez Wang à vélo !
MARTIN : – Cool ! Et à minuit, on va regarder la télé !
NOÉ : – Oui ! Et on va manger des pizzas !

piste 25

J'écoute

2. MARTIN : – Salut Djamila !
DJAMILA : – Eh Martin ! Regarde ! Je peux danser.
MARTIN : – Oui, super ! Samedi...
DJAMILA : – Regarde ! Je peux toucher mes pieds.
MARTIN : – Oui, oui, chouette !... Samedi, tu veux...
DJAMILA : – Je peux aussi...
MARTIN : – Tu peux aussi venir chez moi samedi ?
DJAMILA : – Oui, je peux !
MARTIN : – Ah les filles !

you want

1 Associe.

2 Réponds vrai ou faux.

1. Djamila peut chanter.
2. Djamila peut toucher ses pieds.
3. Martin peut aller chez Djamila.
4. Djamila peut aller chez Martin mercredi.

On va s'amuser !

– On peut **chanter** ?
– Non, maintenant, je fais du **volley**.
– Ensuite, on va chanter, on va **danser**.
– C'est d'accord, c'est **ok** !

– On peut **courir** ?
– Non, maintenant je **regarde la télé**.
– Après, on va **courir**, on va **sauter**.
– Oui, c'est une bonne **idée** !

– On peut **nager** ?
– Non, maintenant je **fais du hockey**.
– Demain, on va **nager**, on va **plonger**.
– Oui, c'est **parfait** !

Boîte à outils

– Tu peux venir ?
– Non, maintenant, je fais du tennis.

– Qu'est-ce qu'on va faire après ?
– On va aller au stade.
On peut regarder un match.

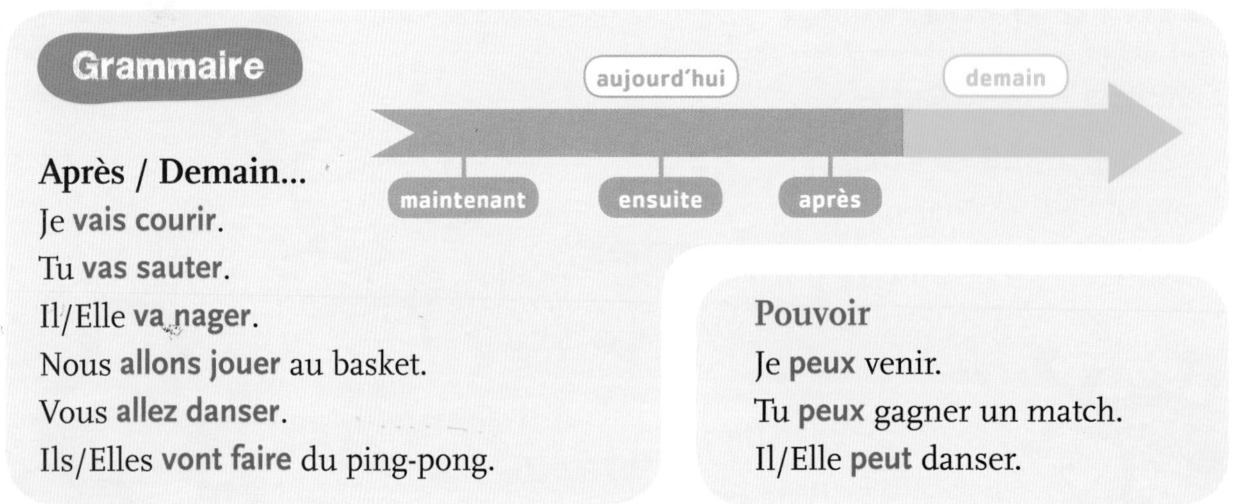

Grammaire

aujourd'hui — demain
maintenant — ensuite — après

Après / Demain...
Je **vais courir**.
Tu **vas sauter**.
Il/Elle **va nager**.
Nous **allons jouer** au basket.
Vous **allez danser**.
Ils/Elles **vont faire** du ping-pong.

Pouvoir
Je **peux** venir.
Tu **peux** gagner un match.
Il/Elle **peut** danser.

1 Demande à ton/ta voisin(e) :

Qu'est-ce que tu vas faire demain ?

1 Répète les mots.

J'écoute et je parle

[p] comme dans papa	[b] comme dans bébé
le parc	le basket
la piscine	le football
à pied	le bus
le ping-pong	bonjour
pouvoir	un bonbon

2 Trouve un mot.

piste 28

J'écoute et je parle

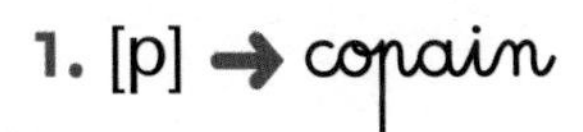

3 Associe.

Je parle

Méli-mélodie

Pascal peut faire du basket
avec Basile dans le parc.

Prends ton cahier ! p. 23

Le jeu des Sports

DÉPART

Mime

« Tu cours. »

Dis

5 sports.

Qu'est-ce qu'elle va faire ?

ARRIVÉE

Qu'est-ce qu'elle va faire ?

Mime

« Tu nages. »

Dis

le nom d'un sportif français.

Règles

1) Lance le dé et compte à haute voix.

2) Dis la phrase ou mime l'action.

3) Tu passes un tour.

4) Change de place avec un joueur.

5) Bravo ! Tu as gagné !

Où tu vas ?

AVANCE DE 2 CASES.

Mime

« Tu danses le hip hop. »

Nous jouons

Où tu vas ?

PASSE UN TOUR.

Qu'est-ce qu'il va faire ?

Dis le nom d'un basketteur.

Mime « Tu joues au rugby. »

Dis les sports que tu aimes.

PASSE UN TOUR.

Les sports dans le monde

le sumo

la pelote basque

le cricket

le curling

le polo

le cyclisme

Où tu vas ?

Mime « Tu joues au volley. »

Dis le nom d'un sportif de ton pays.

Qu'est-ce qu'il va faire ?

Je fabrique

Fabriquons un jeu de société !

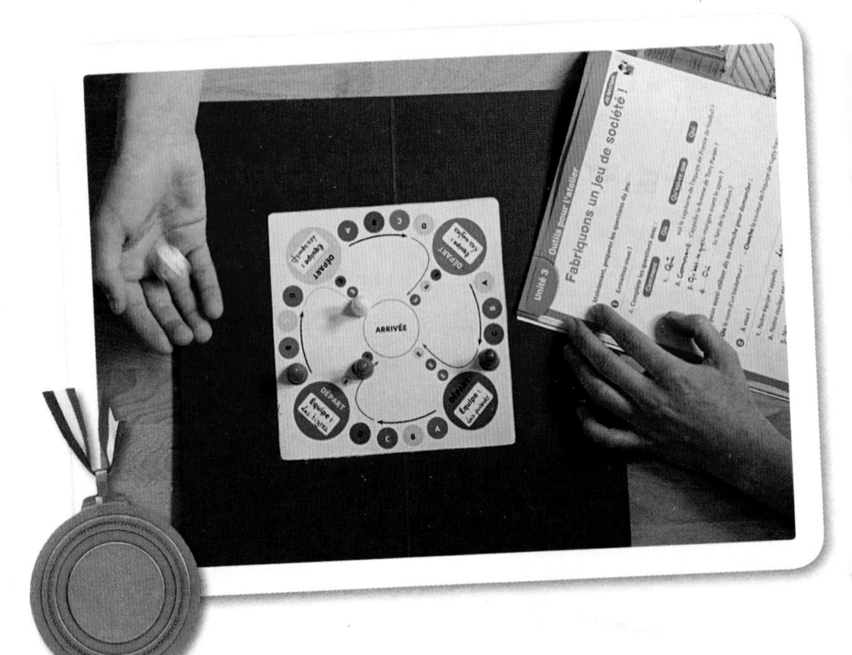

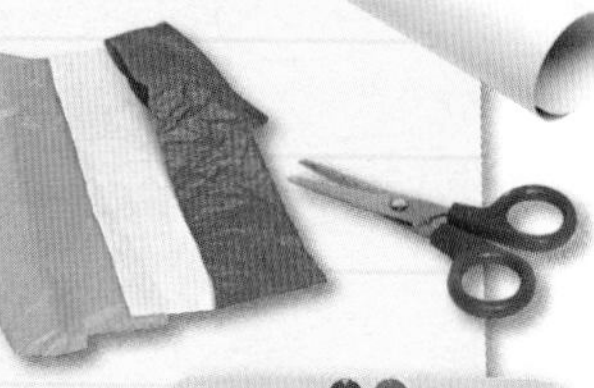

Matériel :
- des grandes feuilles
- des ciseaux
- des stylos
- des feutres
- des rubans de couleur
- le plateau de jeu (p. 61, cahier)

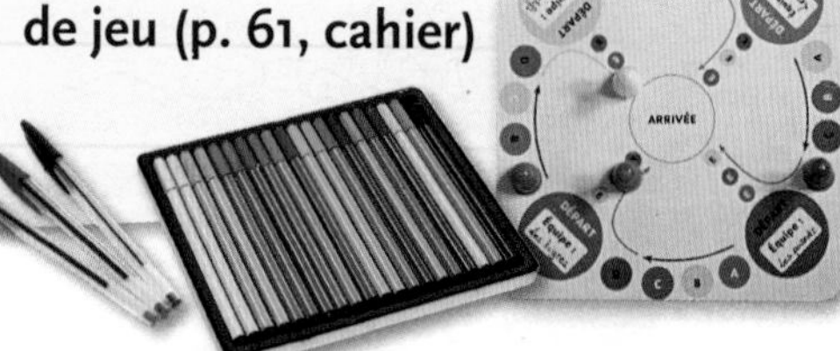

Regarde bien les photos et lis le mode d'emploi avec tes camarades :

1. Découpez le plateau de jeu.

Prends ton cahier ! p. 61

2. Faites une liste des thèmes.

3. Choisissez un thème et une couleur.

4. Préparez les questions du jeu et choisissez un nom d'équipe.

Prends ton cahier ! p. 26

5. Fabriquez une banderole.

BRAVO !
Le jeu de société est prêt. Amusez-vous bien et que les meilleur(e)s gagnent !

Unité 4

Chez le docteur

- Je connais des mots du corps.
- Je dis comment je me sens.
- Je dis où j'ai mal.
- Je sais refuser une invitation.
- Je dis ce que je ne peux pas faire.
- Je sais dire pourquoi.
- Je joue à « Qui dit quoi ? ».
- Nous fabriquons un jeu de dominos des Monstres.
- Nous nous évaluons.
- J'utilise mon portfolio.

Aïe, j'ai mal !

① LE DOCTEUR : – Bonjour Maé !
MAÉ : – Bonjour docteur, vous allez bien ?
LE DOCTEUR : – Oui, Maé, ça va. Et toi, où tu as mal ?
MAÉ : – J'ai mal au ventre et à la tête.
LE DOCTEUR : – Bon, nous allons regarder ça ! Allonge-toi !

② MARTIN : – Allô Wang, c'est Martin ! Tu viens chez moi demain ?
WANG : – Non, je suis fatigué. J'ai mal à la tête.

MARTIN : – Salut Maé, c'est Martin ! Tu viens chez moi demain ?
MAÉ : – Non, je suis malade. J'ai mal au ventre.

MARTIN : – Bonjour Camille, c'est Martin ! Tu viens chez moi demain ?
CAMILLE : – Non, je ne peux pas.
MARTIN : – Pourquoi ?
CAMILLE : – Parce que j'ai mal aux dents.
MARTIN : – Oh là, là ! Quel week-end !

1 Montre le bon dessin.

- Maé est chez...

(a)

(b) (c)

2 Associe.

1. la tête
2. le ventre
3. la jambe
4. la dent

(a)

(b)

(c)

Fais comme moi !

Aujourd'hui, tu es fatigué ? Fais comme moi !
Touche ta **tête**, touche tes **pieds**
Touche tes **bras**, touche tes **jambes**

Aujourd'hui, tu es triste ? Fais comme moi !
Bouge ta **tête**, bouge tes **pieds**
Bouge une **main**, bouge l'autre **main**

Aujourd'hui, tu es un peu malade ? Fais comme moi !
Secoue ta **tête**, secoue tes **pieds**
Secoue tes **bras**, secoue tes **jambes**
Secoue une **main**, secoue l'autre **main**

Et si tu es content, encore une fois ?...

Boîte à outils

– Tu viens chez moi ?
– Non, je ne peux pas (venir).

– Pourquoi ?
– Parce que je suis malade.

– Où tu as mal ? – J'ai mal aux dents.

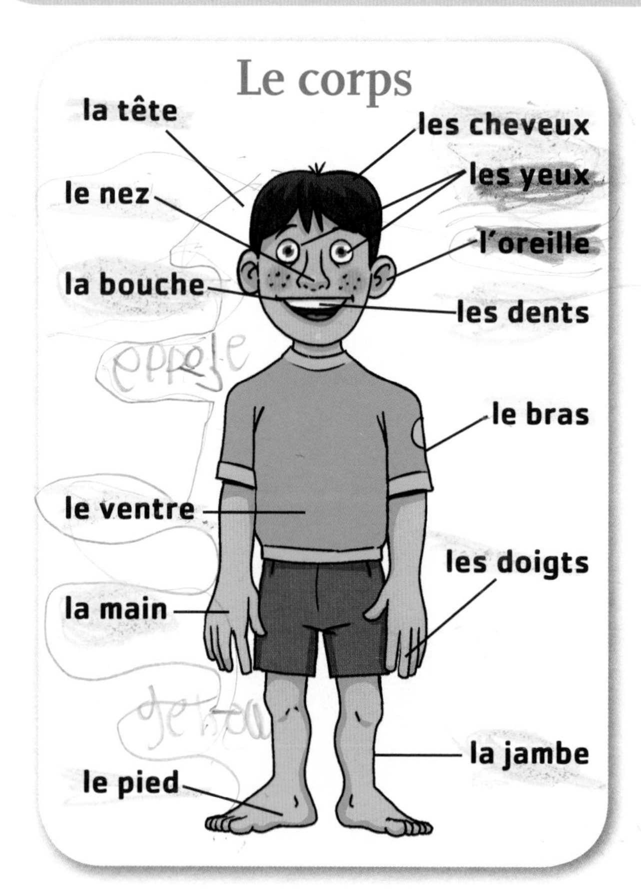

Vous

– Docteur/Monsieur/Madame, comment **vous** allez ?
– **Je** vais bien.

– Les enfants, comment **vous** allez ?
– **Nous** allons bien.

Grammaire **J'ai mal** au bras **/** à la main **/ à l'**oreille **/** aux dents.

Pourquoi ? Parce que
– Pourquoi tu ne peux pas aller à la piscine ?
– Parce que j'ai mal à la tête.

– Tu viens chez moi ?
– Oui, je peux. /
Non, je **ne** peux **pas**.

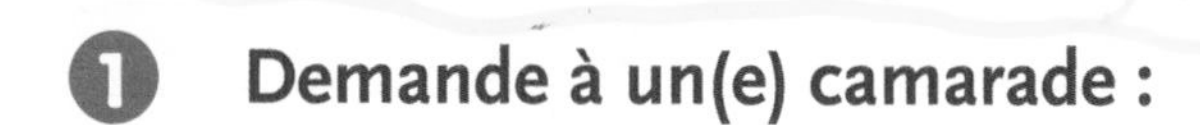

1 **Demande à un(e) camarade :** Je parle

toucher tes pieds... **bouger ton nez...**

Les sons [t]/[d]

1 **Lève la main quand tu entends le son [d] de dimanche.**

1. les dents ➜ 

2. le ventre ➜ 

2 **Lève la main quand tu entends le son [t] de toi.**

1. la tête ➜ 

2. demain ➜ 

3 **Trouve un mot.**

J'écoute et je parle

1. Trouve un tip avec un [d]. ➜ deux

2. Trouve un tip top avec un [t]. ➜ toucher

Méli-mélodie

piste 41

Treize têtes et trois dents,
c'est un monstre !

Deux aiguilles et douze heures,
c'est ta montre !

Qui dit quoi ?

Nous jouons

1

2

3

4

5

6

7

8

9

10

11

12

Règles

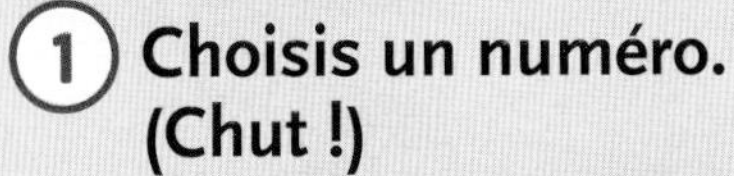

1. Choisis un numéro. (Chut !)

2. Mime l'action.

3. Un(e) camarade dit la bonne phrase.

4. C'est vrai ! Il/Elle pose un jeton.

5. Tu as le plus de jetons ? Bravo ! Tu as gagné !

Les créatures légendaires dans le monde

un troll

un dragon

une licorne

le Minotaure

le monstre du Loch Ness

un elfe

Je fabrique

Fabriquons un jeu de dominos des Monstres !

Matériel :

- des feuilles
- du carton
- des ciseaux
- 1 crayon
- une règle
- de la colle
- des stylos
- des feutres

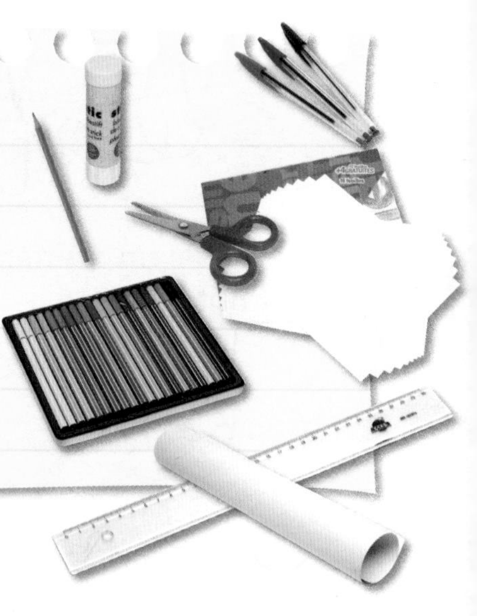

Regarde bien les photos et lis le mode d'emploi avec tes camarades :

1. Collez une feuille sur du carton.

2. Dessinez le domino.

3. Préparez votre monstre.

Prends ton cahier ! p. 35

4. Collez vos monstres sur vos dominos.

5. Écrivez les noms de vos monstres sur les dominos de vos camarades.

BRAVO !
Les dominos sont prêts. Amusez-vous bien !

Unité 5

La classe verte

- Je parle du temps qu'il fait.
- Je connais des animaux de la ferme.
- Je sais décrire un lieu.
- Je connais des métiers.
- Je parle de mon animal préféré.
- Je joue à « Quel temps fait-il ? ».
- Je fabrique l'affiche de mon animal préféré.
- Nous nous évaluons.
- J'utilise mon portfolio.

Bienvenue à la ferme !

piste 44

J'écoute

①

Nous sommes le 20 mars. C'est le printemps !
Il fait beau et un peu froid. Il y a du soleil à Lille. À Brest, il y a du vent. À Lyon, il y a des nuages. Les températures : à Paris, il fait 18 degrés, 16 °C à Brest et 23 °C à Marseille.

piste 45

J'écoute

②

MADAME LEROY : – Aujourd'hui, nous allons visiter une ferme. Monsieur Augustin est fermier.

LES ÉLÈVES : – Bonjour monsieur !

WANG : – Regardez, il y a des cochons et à côté il y a des moutons, des chèvres et des poules !

NOÉ : – C'est top ! Regarde, il y a aussi un âne dans la grange et deux vaches : meuh ! meuh !

DJAMILA : – Bah des vaches, ça sent mauvais ! Je préfère les fleurs, les oiseaux. Oh, regardez ! Derrière la ferme, il y a un cheval : c'est mon animal préféré !

1 Associe.

1. Marseille 2. Lille 3. Brest 4. Lyon 5. Paris

a  b  

c  d 

e 

2 Montre les bons dessins.

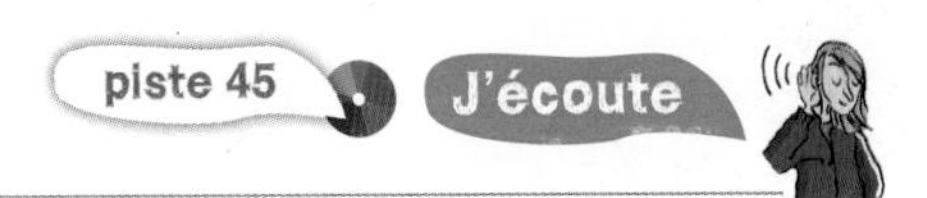

• Nous allons...

a

b

c

• Il y a...

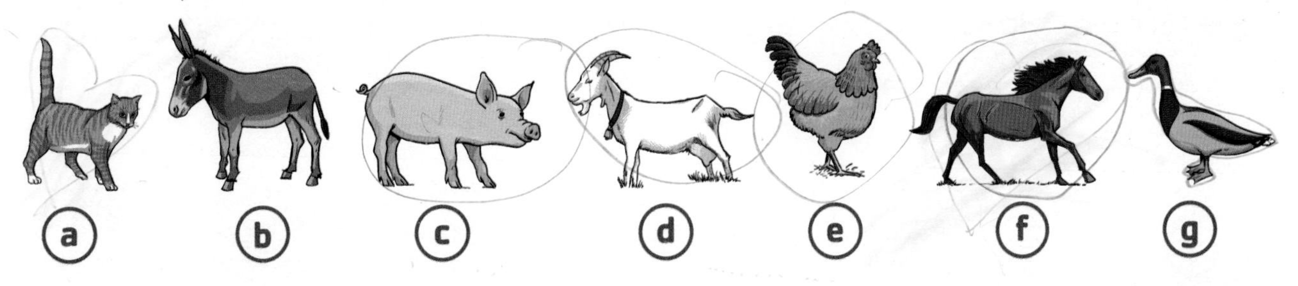

Les beaux métiers

piste 46 Je récite

Certains veulent être **marins**,
D'autres ramasseurs de **bruyère**,
Explorateurs de **souterrains**,
Perceurs de trous dans le **gruyère**,
Cosmonautes, ou, pourquoi **pas**,
Goûteurs de tartes à la **crème**,

De chocolat et de **babas** :
Les beaux métiers sont ceux qu'on **aime**.
L'un veut nourrir un petit **faon**,
Apprendre aux singes l'**orthographe**,
Un autre bercer **l'éléphant**...
Moi, je veux peigner la **girafe** !

Jacques Charpentreau, *Poèmes pour peigner la girafe*, Hachette Livre/Gautier-Langereau, 1994.

Boîte à outils

À la ferme, il y a un âne. Il n'y a pas de canard.

– Où est le cochon ?
– Il est à côté du mouton.

– Quel temps fait-il ?
– Il fait beau.

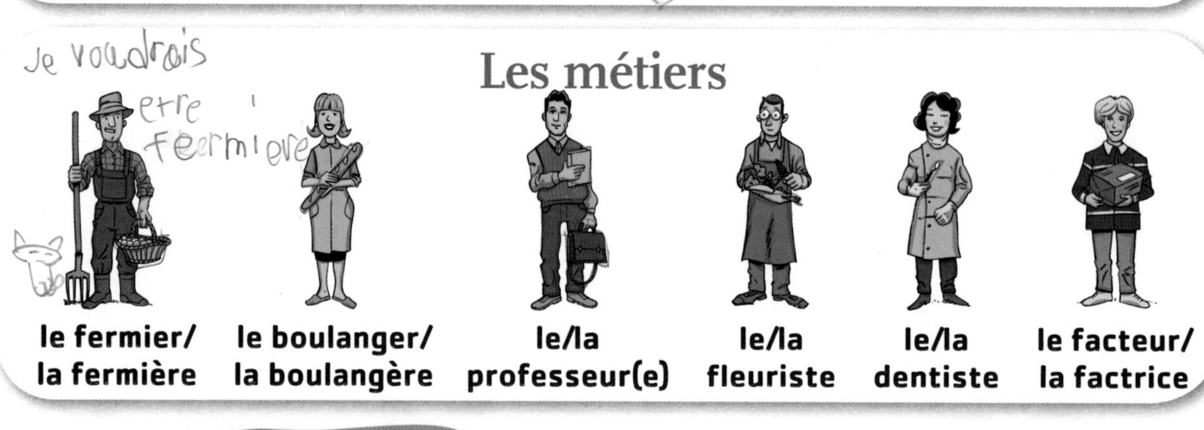

Grammaire

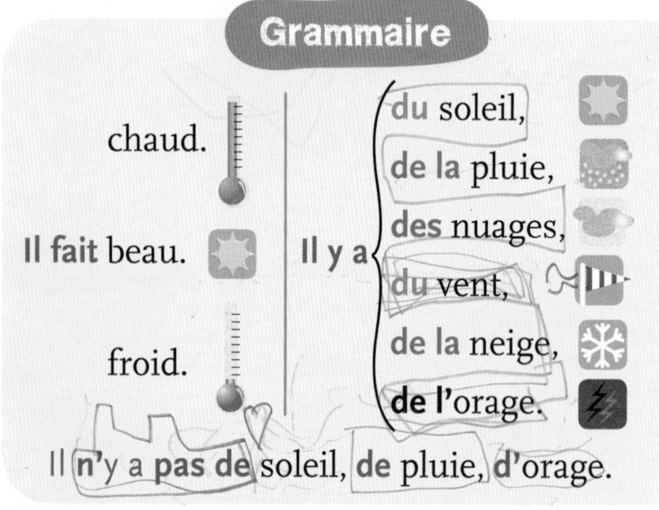

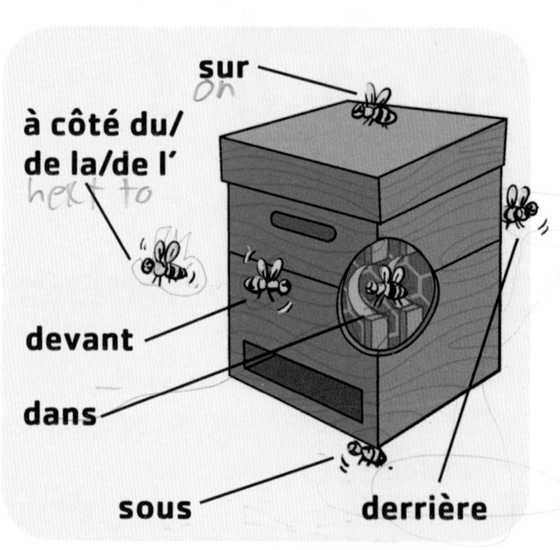

1 Regarde p. 43 et demande à un(e) camarade : **Je parle**

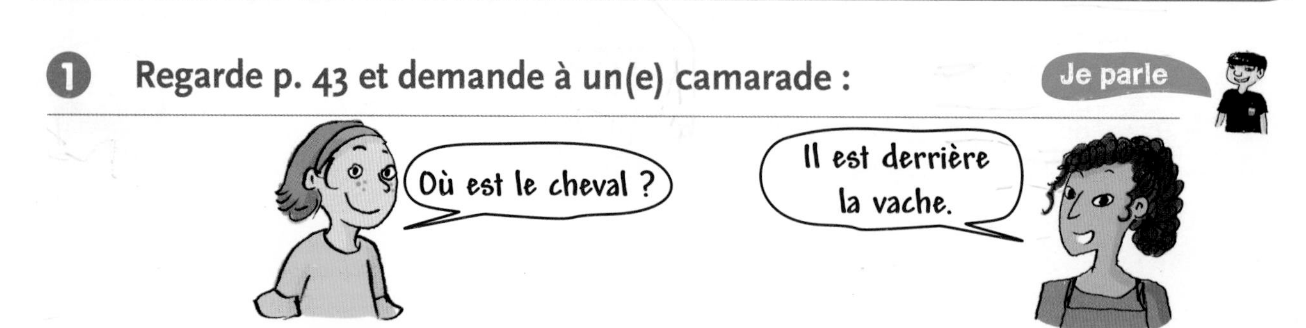

1 Répète les mots avec le son [j] de fille.

1. une abeille
2. le soleil
3. travailler
4. la famille
5. une oreille
6. s'habiller

2 Montre les mots avec le son [j].

1. un écureuil 
2. le crayon 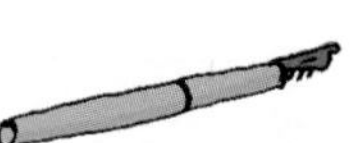
3. le brouillard 
4. des feuilles 
5. le fil 
6. un œil 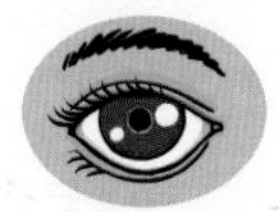

Les abeilles se réveillent
et travaillent au soleil.

Prends ton cahier ! p. 39

Quel temps fait-il ?

Nous jouons

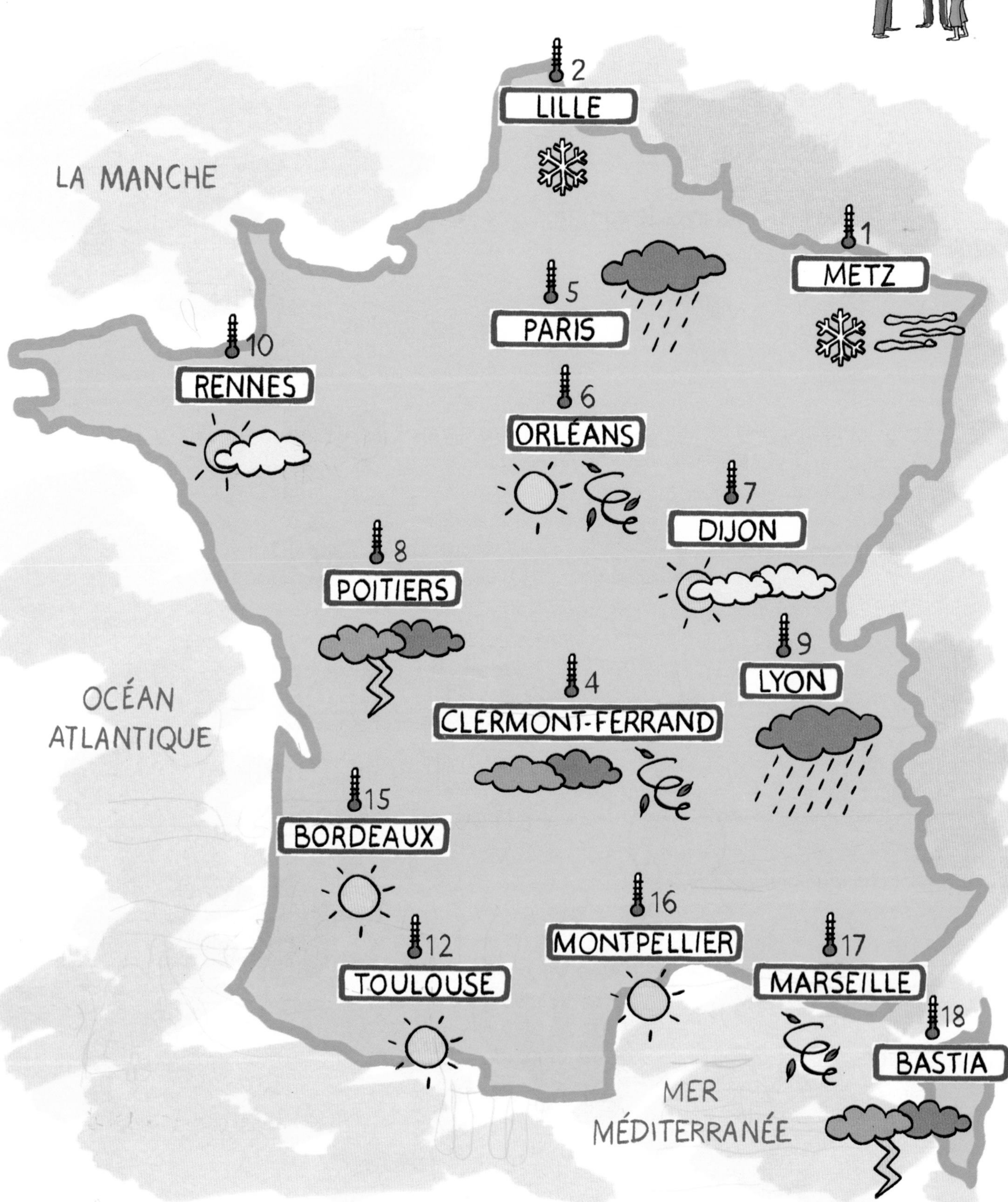

Règles

① Lance ta gomme.

② Dis la météo de la ville.

③ Compte un point par bonne phrase.

④ Tu as le plus de points ? Bravo ! Tu as gagné !

Les climats du monde

La zone froide

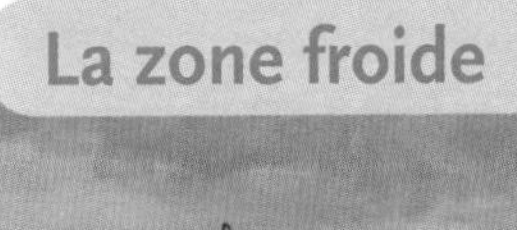

la banquise (en Europe du Nord)

la toundra (en Amérique du Nord)

La zone tempérée

une forêt en France

des steppes (en Asie)

La zone chaude

un désert (en Afrique)

une forêt tropicale (en Amérique du Sud)

Je fabrique

Fabrique l'affiche de ton animal préféré !

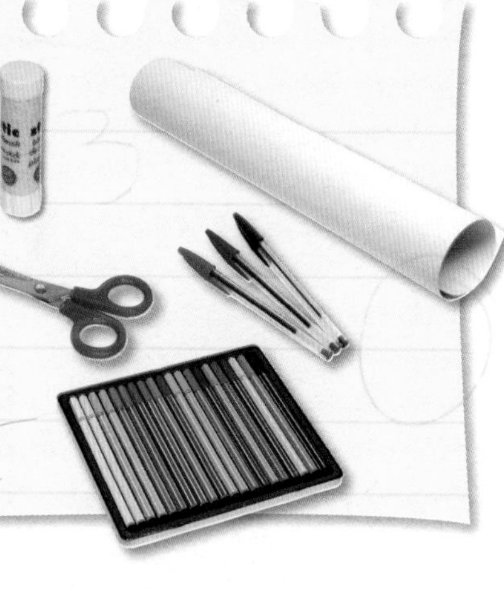

Matériel :
- des grandes feuilles blanches
- de la colle
- des ciseaux
- des stylos
- des feutres
- des photos

Regarde bien les photos et lis le mode d'emploi avec tes camarades :

1. Choisis une photo.

2. Découpe une photo de ton animal préféré.

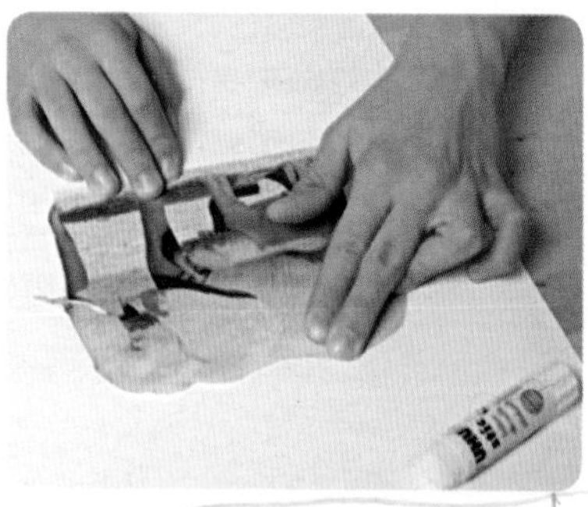

3. Colle la photo de ton animal sur une feuille.

4. Décris ton animal.

Prends ton cahier ! p. 42

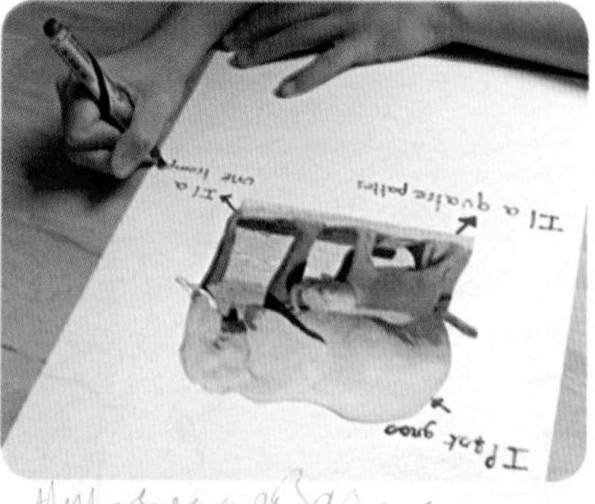

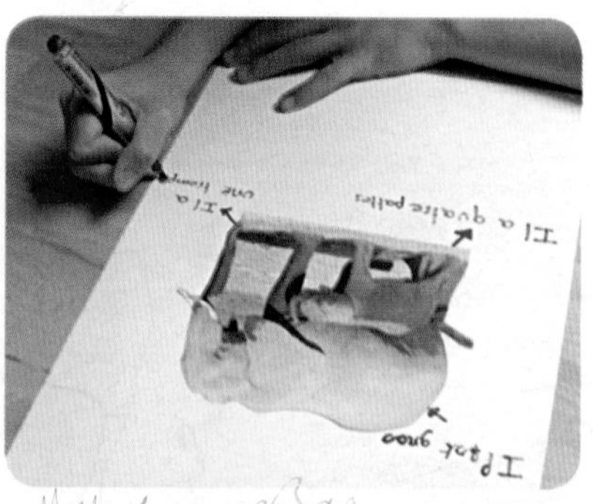

5. Présente ton animal sur ton affiche.

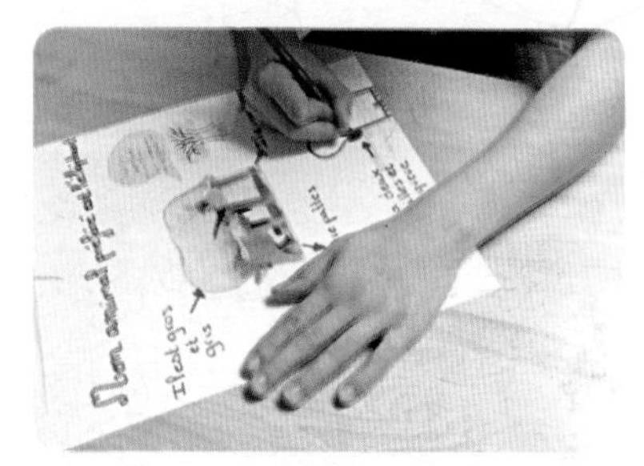

6. Décore ton affiche.

7. Signe ton affiche.

BRAVO !
L'affiche est prête.
Présente ton affiche à tes camarades !

Unité 6

La fête de l'école

- Je connais des noms de vêtements.
- Je dis comment je m'habille.
- Je sais compter juqu'à 100.
- Je dis les objets que je prends.
- Je sais demander « Combien... ? ».
- Je raconte ce que j'ai fait.
- Je joue au jeu du Téléphone.
- Nous organisons la fête de la classe.
- J'utilise mon portfolio.
- Je m'entraîne au DELF Prim.

On fait la fête !

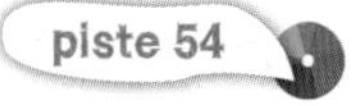
piste 53

J'écoute 

① MAÉ : – Allô, Camille ? C'est Maé. Comment tu t'habilles demain pour la fête de l'école ?

CAMILLE : – Je me déguise en sorcière ! Je mets une robe noire, un chapeau noir, des chaussures bleues et je prends trois baguettes magiques !

MAÉ : – Combien de baguettes magiques ?

CAMILLE : – Trois ! La magie, c'est trop bien !

piste 54

J'écoute 

② JOHN : – Allô Maé, c'est John !

MAÉ : – Salut John ! Ça va ?

JOHN : – Très bien! Alors, qu'est-ce que tu as fait hier à la fête de l'école ?

MAÉ : – Le matin, on a fait des crêpes et l'après-midi, j'ai décoré la salle avec des copains. Le soir, les familles ont regardé le spectacle, on a joué et on a écouté de la musique.

JOHN : – Et vous avez chanté ?

MAÉ : – Oui, et nous avons dansé ! Tu viens la prochaine fois ?

JOHN : – Oh oui !

1 Montre les bons dessins.

2 Montre les bons dessins.

C'est un faux numéro !

– Ça sonne, décroche !

– Allô ! Allô ! C'est Marie, on fait une fête samedi !

Qu'est-ce que tu fais, tu viens aussi ?

Dépêche-toi, j'ai plus de batterie. Alors, c'est oui ?

– Allô ! Allô ! Gabi ? Qu'est-ce que tu mets samedi ? Ton pull gris, il est trop joli !

– Allô ! Allô ! Gabi ? Alors qu'est-ce que tu as fait samedi ?

On a attendu tout l'après-midi. Tu as oublié ?

Je t'ai envoyé un texto jeudi.

– Allô ! Allô ! Gabi ? Allô ! Allô ! Gabi ?

– Non, c'est un faux numéro !

Boîte à outils

– Qu'est-ce que tu mets pour la fête ?
– Je mets une jupe verte.

– Qu'est-ce que tu as fait hier ?
– J'ai regardé la télé.

– Combien de ballons tu veux ? – Je voudrais 70 ballons, s'il te plaît.

Les vêtements

Les nombres de 70 à 100

(70) soixante-dix	(80) quatre-vingts	(90) quatre-vingt-dix
(71) soixante et onze	(81) quatre-vingt-un	(91) quatre-vingt-onze
(72) soixante-douze	(82) quatre-vingt-deux	(100) **cent**

Grammaire

Prendre
Je **prends** un chapeau.
Tu **prends** des stylos.
Il/Elle **prend** un crayon.

Mettre
Je **mets** une robe.
Tu **mets** un tee-shirt.
Il/Elle **met** des chaussures.

Hier,
J'ai **regardé** le spectacle.
Tu as **mis** un pull.
Il/Elle a **lu** un livre.
Nous avons **visité** la ferme.
Vous avez **fait** la fête.
Ils/Elles ont **écrit** un mail.

un pantalon **bleu**
une veste **bleue**
des collants **bleus**
des chaussettes **bleues**

un livre **magique**
une baguette **magique**
des feutres **magiques**

1 **Demande à un(e) camarade :**

Je parle

Qu'est-ce que tu as fait hier ?

1 **Répète les mots avec le son [ɛ̃] de Martin.**

piste 56 — J'écoute et je parle

1. demain
2. cinq
3. matin
4. lundi
5. la main
6. combien
7. un jardin
8. un copain

2 **Choisis un son et montre les bons dessins.**

Je parle

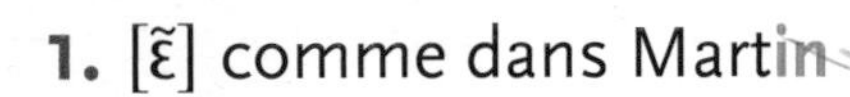
1. [ɛ̃] comme dans Martin

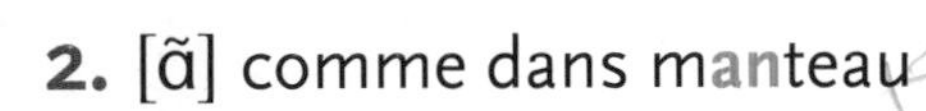
2. [ɑ̃] comme dans manteau

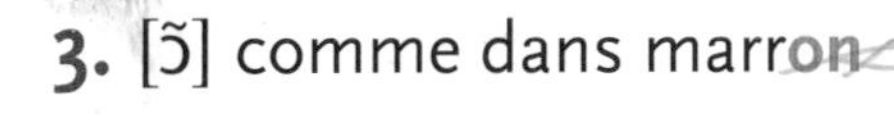
3. [ɔ̃] comme dans marron

a

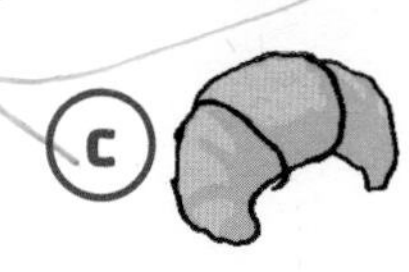
c

g

piste 57

Méli-mélodie

Lundi, j'ai invité mes copains.
Dimanche, maman met un manteau blanc.
Combien de bonbons a Suzon ?

Prends ton cahier ! p. 47

Le jeu du Téléphone

Nous jouons

Mon emploi du temps

	matin	midi	après-midi
mercredi			
samedi			
dimanche			

L'emploi du temps de...

	matin	midi	après-midi
mercredi			
samedi			
dimanche			

Règles

① Complète ton emploi du temps avec les cartes.

Prends ton cahier ! p. 63

② Téléphone à un(e) camarade et pose des questions.

③ Pose les cartes sur son emploi du temps.

④ Comparez les emplois du temps.

⑤ Les emplois du temps sont identiques ? Bravo ! Tu as gagné !

Le téléphone dans le monde

en Angleterre

en Suède

en France

en Chine

au Canada

Je fabrique

Organisons la fête de la classe !

Matériel :
- des feuilles
- des enveloppes
- des stylos
- des feutres
- des accessoires de fête

Regarde bien les photos et lis le mode d'emploi avec tes camarades :

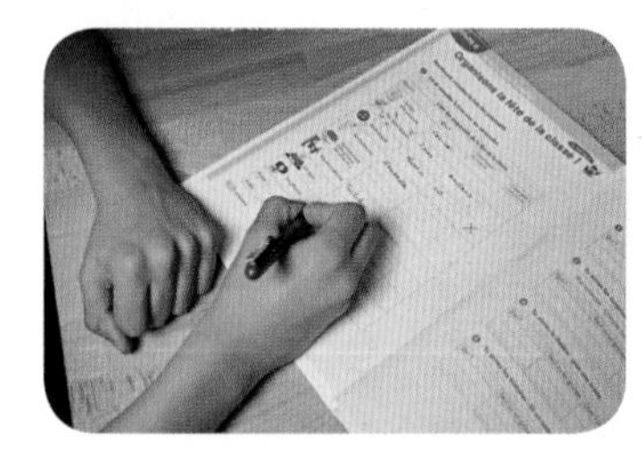

1. Complétez la liste des préparatifs :

Prends ton cahier ! p. 50

2. Préparez les cartes d'invitation.

3. Faites des groupes et préparez les animations : Prends ton cahier ! p. 51

a. Choisissez une chanson.

b. Choisissez des jeux ou des défis.

c. Choisissez une poésie ou une histoire.

4. Faites des groupes et terminez les préparatifs : Prends ton cahier ! p. 50

a. Préparez la musique.

b. Décorez la salle.

c. Préparez les boissons et la nourriture.

BRAVO !
La fête est prête.
Amusez-vous bien !

Les nombres de 0 à 1 000

0	**zéro**
1	un
2	deux
3	trois
4	quatre
5	cinq
6	six
7	sept
8	huit
9	neuf

10	**dix**
11	onze
12	douze
13	treize
14	quatorze
15	quinze
16	seize
17	dix-sept
18	dix-huit
19	dix-neuf

20	**vingt**
21	vingt et un
22	vingt-deux
23	vingt-trois
24	vingt-quatre
25	vingt-cinq
26	vingt-six
27	vingt-sept
28	vingt-huit
29	vingt-neuf

30	**trente**
31	trente et un
32	trente-deux
33	trente-trois
34	trente-quatre
35	trente-cinq
36	trente-six
37	trente-sept
38	trente-huit
39	trente-neuf

40	**quarante**
41	quarante et un
42	quarante-deux
43	quarante-trois
44	quarante-quatre
45	quarante-cinq
46	quarante-six
47	quarante-sept
48	quarante-huit
49	quarante-neuf

50	**cinquante**
51	cinquante et un
52	cinquante-deux
53	cinquante-trois
54	cinquante-quatre
55	cinquante-cinq
56	cinquante-six
57	cinquante-sept
58	cinquante-huit
59	cinquante-neuf

60	**soixante**
61	soixante et un
62	soixante-deux
63	soixante-trois
64	soixante-quatre
65	soixante-cinq
66	soixante-six
67	soixante-sept
68	soixante-huit
69	soixante-neuf

70	**soixante-dix**
71	soixante et onze
72	soixante-douze
73	soixante-treize
74	soixante-quatorze
75	soixante-quinze
76	soixante-seize
77	soixante-dix-sept
78	soixante-dix-huit
79	soixante-dix-neuf

80	**quatre-vingts**
81	quatre-vingt-un
82	quatre-vingt-deux
83	quatre-vingt-trois
84	quatre-vingt-quatre
85	quatre-vingt-cinq
86	quatre-vingt-six
87	quatre-vingt-sept
88	quatre-vingt-huit
89	quatre-vingt-neuf

90	**quatre-vingt-dix**
91	quatre-vingt-onze
92	quatre-vingt-douze
93	quatre-vingt-treize
94	quatre-vingt-quatorze
95	quatre-vingt-quinze
96	quatre-vingt-seize
97	quatre-vingt-dix-sept
98	quatre-vingt-dix-huit
99	quatre-vingt-dix-neuf

100	**cent**
101	cent un
102	cent deux
103	cent trois
…	

200	**deux cents**
201	deux cent un …
300	**trois cents**
301	trois cent un …
400	**quatre cents**
500	**cinq cents**
…	
1 000	**mille**

Les articles

	masculin singulier	féminin singulier	pluriel
les indéfinis	**un** pantalon	**une** jupe	**des** chaussettes
les définis	**le** nez, **l'**orteil	**la** bouche, **l'**oreille	**les** doigts
les partitifs	**du** soleil, **de l'**orage	**de la** pluie, **de l'**omelette	
les articles avec **à**	**au** musée, **à l'**hôpital	**à la** poste, **à l'**infirmerie	**aux** toilettes
les articles avec **de**	**du** tennis	**de la** natation, **de l'**escalade	**des** sports

Les adjectifs possessifs

	masculin singulier	féminin singulier	pluriel
À moi	**mon** chapeau	**ma** veste	**mes** chaussures
À toi	**ton** chapeau	**ta** veste	**tes** chaussures
À lui	**son** chapeau	**sa** veste	**ses** chaussures

Les adjectifs

masculin : il est...	féminin : elle est...	pluriel : ils/elles sont...
content	contente	contents contentes
triste	triste	tristes

Les verbes au présent

Avoir J'**ai**... Nous **avons** Tu **as**... Vous **avez** Il/Elle **a**... Ils/Elles **ont**		**Être** Je **suis**... Tu **es**... Il/Elle **est**... Ils/Elles **sont**	
Pouvoir Je **peux**... Tu **peux**... Il/Elle **peut**...	**Faire** Je **fais**... Tu **fais**... Il/Elle **fait**...	**Aller** Je **vais**... Tu **vas**... Il/Elle **va**...	**Vouloir** Je **veux**... Tu **veux**... Il/Elle **veut**...
Mettre Je **mets**... Tu **mets**... Il/Elle **met**...	**Prendre** Je **prends**... Tu **prends**... Il/Elle/On **prend**... **(apprendre, comprendre...)**		
Les verbes en **-er** comme **dessiner** Je dessin**e**... Tu dessin**es**... Il/Elle/On dessin**e**... Nous dessin**ons**... Vous dessin**ez**... Ils/Elles dessin**ent**... **(regarder, écouter, chanter, parler, jouer, goûter, déjeuner**...)			
Les verbes pronominaux comme **se laver** ou **se lever** Je **me** lave... Tu **te** laves... Il/Elle/On **se** lave... Je **me** lève... Tu **te** lèves... Il/Elle/On **se** lève... **(se réveiller, se dépêcher, s'habiller, se coiffer, se coucher**...)			

Les verbes au futur proche

Règle : Le verbe **aller** au présent + un verbe à l'infinitif		
Je vais **courir**...	Tu vas **dessiner**...	Il/Elle/On va **sauter**...
Nous allons **nager**...	Vous allez **aller**...	Ils/Elles vont **faire**...
Verbes à l'infinitif : **regarder, écouter, chanter, danser, parler, fabriquer, goûter, jouer, aller, faire, vouloir, pouvoir, manger, être, avoir, déjeuner, se laver**...		

Les verbes au passé composé avec *avoir*

Règle : Le verbe **avoir** au présent de l'indicatif + le participe passé du verbe		
J'ai **regardé**...	Tu as **mis**...	Il/Elle a **lu**...
Nous avons **visité**...	Vous avez **fait**...	Ils/Elles ont **écrit**...

Les participes passés des verbes avec *avoir*

L'infinitif		Le participe passé
Tous les verbes en **-er**	comme **écouter**	écout**é**
Les verbes irréguliers	avoir boire courir écrire entendre être faire lire mettre pouvoir prendre (apprendre, comprendre) voir	**eu** **bu** **couru** **écrit** **entendu** **été** **fait** **lu** **mis** **pu** **pris** **(appris, compris)** **vu**

Les verbes à l'impératif

Les verbes en **-er** comme **traverser**		
Travers**e** !	Travers**ons** !	Travers**ez** !
(tourner, bouger, toucher, écouter, regarder, chanter, danser...)		

La négation

Oui	Non
J'**aime** le chocolat.	Je **n'**aime **pas** le chocolat.
Je **peux**.	Je **ne** peux **pas**.
Il y **a** de la neige.	Il **n'**y a **pas** de neige.
Traverse !	**Ne** traverse **pas** !

Les prépositions

à/en + moyen de transport	**à** pied / **en** bus
à + heure	**à** huit heures
chez + personne	**chez** moi / **chez** le docteur / **chez** Djamila
La localisation	**sur**, **sous**, **devant**, **derrière**, **dans**, **à côté** du/de la/de l'/des
L'orientation	**tout droit**, **à gauche**, **à droite**

Les questions et les réponses

– **Comment** tu t'appelles ? → – Je + m'appelle + **Marie**.
– **Qu'est-ce que** c'est ? → – C'+ est + **un stylo rouge**.
– **Quel âge** elle a ? → – Elle + a + **9 ans**.
– **Qui** est-ce ? → – C'+ est + **Wang** !
→ – Ce + sont + **mes frères** !

– **Qu'est-ce qu'**il aime ? → – Il + aime + **les mathématiques**.
– **Qu'est-ce que** tu veux ? → – Je + veux + **un bol de lait**.
– **Qu'est-ce que** tu fais après l'école ? → – Je + regarde + **la télévision**.
– **Qu'est-ce que** tu fais à **8 heures** ? → **À 8 heures**, je + **m'habille**.
– **Qu'est-ce qu'** on va faire **après** ? → **Après**, on + **va aller au stade**.

– **Où** tu habites ? → J' + habite + **10 rue Pasteur**.
– **Où** est le musée ? → Le musée + est + **à droite**.
– **Où** tu as mal ? → J' + ai mal + **au ventre**.
– **Où** est le cheval ? → Il + est + **derrière la grange**.

– **Pourquoi** tu ne viens pas au cinéma ? → **Parce que** je + suis + **malade**.
– **Quel** temps fait-il ? → Il + fait + **beau**.
– **Combien** de ballons elle veut ? → Elle + veut + **cent** ballons.
– Il est **quelle heure** ? → Il + est + **neuf heures et demie**.

Table des matières